Ein Sonderband der Herderbücherei

Adalbert Ludwig Balling

Wenn die Freude Flügel hat

Fotografie und Gestaltung
Werner Bleyer

Herderbücherei

Für
Christoph und Brigitte,
Ludwig und Annette,
Bernward und Erika

Originalausgabe
erstmals veröffentlicht als Herder-Taschenbuch
Fotos: Norbert Bleyer (5), Werner Bleyer (29),
Dr. Martin Schulte-Kellinghaus (2)
Alle Rechte vorbehalten – Printed in Germany
© Verlag Herder Freiburg im Breisgau 1984
Herder Freiburg · Basel · Wien
Herstellung: Freiburger Graphische Betriebe 1984
ISBN 3-451-20224-7

Kennst du das Märchen
von der Freude?

Als ein Volk nur traurig war
und ein kleines Kind
einen gläsernen Ball
in den Himmel warf,
ging über diesem Volk
die Sonne auf;
denn die Kugel
trug die Freude
eines Menschen in sich
und wurde so licht
und leicht,
daß sie stetig stieg,
immerzu,
bis sie oben am Himmel
als Sonne stand.

Sigismund von Radecki

Die Sonne scheint für dich – deinetwegen;
und wenn sie müde wird,
beginnt der Mond,
und dann werden die Sterne angezündet.
Es wird Winter,
die ganze Schöpfung verkleidet sich,
spielt Verstecken, um dich zu vergnügen.
Es wird Frühling, Vögel schwärmen herbei
dich zu erfreuen;
das Grün sprießt, der Wald wächst schön
und steht da wie eine Braut,
um dir Freude zu schenken.
Es wird Herbst, die Vögel ziehen fort,
nicht, weil sie sich rar machen wollen,
nein, nur damit du ihrer nicht
überdrüssig würdest.
Der Wald legt seinen Schmuck ab,
nur um im nächsten Jahr neu zu erstehen,
dich zu erfreuen...
All das sollte nichts sein, worüber du
dich freuen kannst?
Lerne von der Lilie und lerne vom Vogel,
deinen Lehrern: zu sein heißt:
für heute dasein – das ist Freude.
Lilie und Vogel sind unsere Lehrer
der Freude.

Sören Kierkegaard

Freude ist
ein lichter, bunter
Schmetterling

Freude
ist ein lichter,
bunter
Schmetterling,
dem wir nachjagen.

Freude
ist der Wunsch
aller Menschen
aller Länder
aller Zeiten.

Freude
ist international –
wie das Lachen,
wie das Weinen.

Freude
spricht alle Sprachen.

Wenn die Freude
Flügel hat,
ist sie der Motor
unseres Lebens.

Wenn die Freude
Flügel hat,
ist der Ballast
des Alltags
keine Bürde mehr.

Wenn die Freude
Flügel hat,
fallen
die Schlacken
von alleine ab.

Wenn die Freude
Flügel hat,
hören wir
die Blumen sprechen
und die Sterne
flüstern.

Wenn die Freude
Flügel hat,
sind wir mit uns
zufrieden
und mit denen,
die uns nahestehen.

Wenn die Freude
Flügel hat,
wohnt Glück
in deiner Seele.

FREUDE
ist, wenn Kinder nebenan ungestört
lärmen dürfen.

FREUDE
ist, wenn man aus Freude weint.

FREUDE
ist, wenn Frieden herrscht auf Erden.

FREUDE
ist, wenn uns jemand eine Rose schenkt.

WO FREUDE WOHNT

da werden Blumen zu Freunden,
da zwinkern und schmunzeln die Bäume,
da siehst du die Schönheit der Natur,
da hast du Ehrfurcht vor den Tieren,
da spiegelt sich Gott in deiner Seele.

Freude ist,
wenn andere sich mitfreuen.

FREUDE
ist, wo der Hofhund sonntags einen
Extraknochen erhält.

FREUDE
ist, wo Kinder Ponys reiten.

FREUDE
ist, wo junge Mädchen grundlos
kichern dürfen.

FREUDE
ist, wo Gott nicht vor die Türe
gesetzt wird.

Freude am Neuen
Freude am Überlieferten
Freude am Wandern
Freude am Schwimmen
Freude am Fliegen
Freude an den Menschen
Freude an den Tieren
Freude an den Pflanzen
Freude am Meer
Freude an den Bergen

Freude
allerorten...

DIE WELT IST SCHÖN

Weil man sich so vieles wünschen kann –
vieles,
das auch noch schön bleibt,
wenn man es nicht bekommt;

weil man sich einen
fliegenden Teppich wünschen kann
und ohne Benzin
und anderen Treibstoff
in Windeseile
alle Kontinente überqueren,
alle Länder bereisen,
alle Menschen besuchen kann.

FREUDE
ist wie ein Stein,
der, ins Wasser geworfen,
immer größere Kreise zieht.

FREUDE
ist wie eine Zelle,
die sich durch Teilen vermehrt.

FREUDE
ist wie ein buntes Glas:
Schaut man hindurch,
erstrahlt alles in anderem Licht.

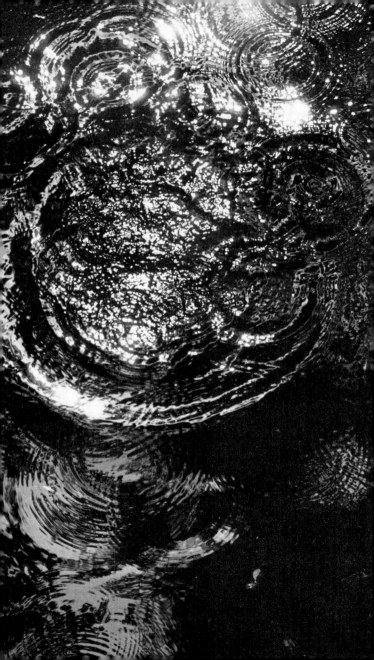

Freude ist
wie ein reifer Löwenzahn,
den ein pausbäckiges Mädchen
in die Luft pustet.

Freude ist
kostbar wie Gold,
aber Gold ist nicht so kostbar
wie Freude.

Freude ist vielfältig.
Freude ist innere Zufriedenheit.
Freude ist Hoffnung.
Freude ist Dank.

Freude ist
wie eine Liebeserklärung
an das Leben.

FREUDE
ist wie Sternengeflüster.

FREUDE
ist wie das Erwachen
bei aufgehender Sonne.

FREUDE
ist wie Glockenläuten.

FREUDE
ist wie Barfußlaufen über
morgenfrische Wiesen.

FREUDE
ist wie ein Brunnen
in der Wüste.

FREUDE
ist wie ein Feuerwerk in der Nacht.

FREUDE
ist wie eine Brise am Meer.

FREUDE
ist wie das Funkeln der Wintersonne
im Rauhreif.

FREUDE
ist wie ein brausender Bach
in der Schneeschmelze.

FREUDE
ist wie ein von der Sonne
bestrahlter Bergkristall.

FREUDE
ist wie eine Sternschnuppe,
die vom Himmel fällt.

Freude sei bei uns
alle Tage.
Freude,
wenn wir arbeiten;
Freude,
wenn wir ruhen;
Freude,
wenn wir uns erholen;
Freude,
wenn wir Feste feiern;
Freude,
wenn wir unter Freunden sind;
Freude auch,
wenn wir den loben,
der alles gemacht hat.

FREUDE
ist wie ein galoppierendes Pferd.

FREUDE
ist wie eine Möwe im Gleitflug.

FREUDE
ist wie ein plantschendes Entlein.

FREUDE
ist wie ein Kind vor dem Christbaum.

FREUDE
ist wie ein schäumender Wasserfall.

Winke den Sternen,
wenn du traurig bist

Winke den Sternen,
wenn du traurig bist.
Sie winken Freude zurück –
wenn du daran glaubst.

Mein lieber Walter,
hab herzlichen Dank für Deinen
lieben Brief. Auch wenn wir nun
für einige Zeit von einander räum-
lich getrennt leben ..... so
verbindet uns doch ..... gegen-
seitige Zuneig .....

Briefe
sind manchen Menschen
lieber als Telefonanrufe.
Sie halten länger –
man kann sie nach-lesen,
kann sie auf-heben.

Worte,
die aus dem Herzen kommen,
sind wie Briefe –
verlängerte Grüße,
Liebeserklärungen:
Gut, dich zu haben!
Herrlich, dich zu wissen!
Wunderbar, daß es dich gibt!

Briefe sind Boten
der Freude –
wenn sie Gutes künden,
wenn sie von Menschen kommen,
die uns nahestehen ...

Indem wir die Dinge lieben,
wie sie sind,
bringen wir Licht in diese Welt.
Wer Licht bringt,
bringt Freude.
Wer Freude kündet,
kündet Hoffnung.
Wer Hoffnung schenkt,
schenkt Liebe.

Freude besteht darin,
ohne großes Aufheben,
aber voller Aufmerksamkeiten
an der Seite seiner Brüder zu stehen.

Regel von Taizé

Nicht der Zwang, sondern die Freude
ist der endgültige Appell
an den Menschen.
Und die Freude ist überall;
sie ist im grünen Gras der Erde
und im heiteren Blau des Himmels,
in der sorglosen Üppigkeit
des Frühlings
und in der strengen Enthaltsamkeit
des grauen Winters,
in den pulsierenden Adern
unseres Körpers,
in der aufrechten Haltung
der menschlichen Gestalt,
in allen Funktionen des Lebens.

Rabindranath Tagore

Was immer du tust –
nimm die Freude mit!
Öffne ihr
Tür und Fenster.

DIE WELT IST SCHÖN

weil es das Telefon gibt,
um mit anderen Menschen
rasch und mühelos
in Verbindung zu treten –

und die Schreibmaschine,
um ihnen Briefe zu schreiben –

und das Radio,
um Nachrichten aus aller Welt
zu erfahren –

und das Fernsehen,
das täglich neu
das Neueste vermittelt –

und Zeitungen und Zeitschriften,
die immer wieder Interessantes
und Informatives bringen –

und die Bücher,
die es zu lesen lohnt
und die man gerne als Geschenke
an Freunde
weitergibt.

Öffnet die Fenster der Freude,
reißt auf
die Tore der Liebe!

Freude
liegt nicht hinter
den Bergen;
Freude ist keine
„blaue Blume".

Freude wohnt
in den kleinen Dingen
am Wegesrand.

HERR,
laß mich froh
und dankbar werden;
lehre mich,
daß die Freude
in mir wohnt –
dort,
wo ich den Menschen nahe bin,
ohne Dir fern zu sein.

Die Freude ist
als Zwilling geboren

Freude ist in dir.
Wohin du auch gehst,
wo du auch wohnst,
was immer du tust –
nimm die Freude mit!
Öffne ihr
Tür und Fenster.
Wenn du Freude hast,
laß andere teilhaben;
verschenke sie –
denn die Freude
wurde als Zwilling
geboren.

Wer für den andern Zeit hat,
der liebt wirklich;
der macht froh
und zuversichtlich.

Zeit,
die man anderen schenkt,
ist Freude.

Der Zukunft
gehört die Freude

Die Zukunft wird eine Zeit
der Freude sein für alle,
die die Freude als Gottes-Geschenk
betrachten.

Der Zukunft gehört die Freude.
Jeder Tag, jede Woche, jedes Jahr –
jedes Menschenleben ist ein
Geschenk der Freude.

Geboren werden,
Mensch sein dürfen
und jedes Jahr
zwölf Monate älter werden,
ist ein Geschenk.

Jeder Mensch ist ein Geschenk;
ohne ihn wäre die Welt
ein Quentchen düsterer,
eine Nuance trostloser,
ein bißchen trauriger.

Danke
dem Urheber des Lebens
für das Vergangene,
freu dich
am Gegenwärtigen
und hoffe
für die Zukunft!

HERR,

laß mich froh
und dankbar werden;
lehre mich,
daß die Freude
in mir wohnt –
dort,
wo ich den Menschen nahe bin,
ohne Dir fern zu sein.

LOB DER SCHÖPFUNG

Keine Blume
wächst auf der Wiese,
die nicht für Gottes Herrlichkeit blüht.

Kein Stern
funkelt am Himmel,
der nicht seine Weisheit lobt.

Kein Vogel
fliegt in der Luft,
der nicht seine Freude singt.

Kein Kinderlachen,
das nicht von Deiner Freude spricht.

Der Mensch ist für die Freude,
und die Freude ist für den Menschen;
denn nur sie
kann den Menschen beglücken,
und es scheint mir,
als sei die Freude keine Freude mehr,
wenn sie sich nicht
im Besitz eines Menschen befindet.

Franz von Sales

Unruhig
ist
unser
Herz,
o Herr,
bis
es
Freude
findet
in
Dir!

Ich mag dich,
sagte der Schmetterling
zur Blume.
– Ich dich auch,
antwortete die Blume;
nur solltest du dies
auch dann sagen,
wenn andere Blumen zuhören
und wenn Menschen
gerade vorbeigehen;
die wissen nämlich
immer noch nicht,
daß ich lieber blühe,
als vorzeitig
zu welken!

FREUDE
ist, wo Kinder laut
und Katzen faul sein dürfen.

FREUDE
ist, wo man andere beschenken darf.

FREUDE
ist, wo man die Vergangenheit annimmt
und doch gern in die Zukunft blickt.

FREUDE
ist, wo man ja sagt zu sich selbst.

Freude
ist Sich-wundern-Können;

Freude
ist, fähig sein,
anderen zu danken;

Freude
ist Lobpreis.

Indem wir die Dinge lieben,
wie sie sind,
bringen wir Licht in diese Welt.
Wer Licht bringt,
bringt Freude.
Wer Freude kündet,
kündet Hoffnung.
Wer Hoffnung schenkt,
schenkt Liebe.

Adalbert Ludwig Balling,
Mariannhiller Missionar,
Jahrgang 1933,
bis 1965 in der Rhodesien/Simbabwe-Mission,
Rektor und Prinzipal einer Station mit High School
1965/66 Ausbildung als Journalist, Redaktion des
Missionsmagazins „mariannhill" (mmm);
Informationsreisen auf allen Erdteilen.

Werner Bleyer,
Jahrgang 1933, Ausbildur
als Typograf und Grafikdesigner. Als Fotograf
Autodidakt (Mitglied der PhGF). 1954-1956 in
Pompei (Süditalien), 1956-1960 in Frankfurt, seit 196
wieder in seiner Heimatstadt Freiburg.